U0126714

薛順雄 編

徐復觀教授時論語錄精粹

臺灣學生書局印行

編前言

在這處處充滿著「繁、煩、忙、盲、亂、懶、燥、難、累」的廿一世紀現實社會裡，要一個人能抽空靜氣，細讀幾篇好文章，真的不是一件容易的事。特別是，具有深度的文章，若無法做到專心勤讀，恐怕是不易掌握其真義精髓的所在。尤其是，家師徐復觀教授，生前發表於報刊、雜誌，許多有關當時文化、教育、時代評議的好文章，要是能用心精讀，不但可以讓我們加深認識「時代」，並可以透過這些作品，更瞭解一代學者　徐教授的「為人」，正如　亞聖孟子所說的：「知人、論世」。雖然　徐師的文章是發表於廿世紀末期，然而人類的思想、時代的變化、世事的移異，人情的喜惡等等，對「人」而言，實有其「共通性」。所以，「追古」實有助以「創新」，因而具有其真正存在的價值性。

徐師的雜文甚富，實在是無法全部加以容納，只能先選取一百篇的文章，擇取其中精粹睿語以成小書，暫做為「初編」，或許將來隨緣有續編的出現。這些「雜文精粹」的選語，只是依個人的觀點選取，絕對無法涵蓋　徐師全部的卓識。卻可以提供給讀者一些參考，增深對徐師關懷社會、文化、教育、人類等的思想，及解弊的方案。據此，此「初編」應該可以幫助未能竟讀全文的人，有所增益。當然，這只是個人選編此書的初衷而已，能否如願，非我所能預知。要是，能細讀每篇的全文，必更有獲益，更深入的瞭解與啟發。

此書的編成，乃是依　徐師哲嗣徐武軍教授發先人潛德幽光的孝心意見，個人只不過是，作些編選抄寫的工作而已。我是個不懂電腦的「今之古人」，幸好有個靜宜大學中文系畢業好學的學生陳雪貞女士，自願在百忙中為我打字成編。在這世情淡薄的現實社會中，這一份真誠的師友風義，令人感動心銘。在此，致最深厚的謝忱與敬意。

薛順雄　二〇一四／二

徐復觀教授時論語錄精粹

目次

一、文化

一之一

「西方人說：『知識就是道德』，在西方已證明其錯誤，因為西方智識的進步，今日西方也沒有能證明，這便是道德的增加。」

「愛因斯坦發明了相對論，成為二十世紀偉大科學家。但他不僅承認，不能以科學去概括道德，在科學以外，還須要道德；並且他嚮往摩西的智慧，歌頌猶太教對人類偉大的啓示。」

——〈中國民族精神之墜落〉一九五二／七／十二《自由人》第一四二期

一之二

「歷史上，沒有真正復古的事情。有的是『托古改制』……有的則係原始精神之再發現……更普通底則為接受前人的精神遺產，由『承先』以『啓後』。沒有這種工作，則每一人都把自己當作第一世祖，都是猿人，還有什麼文化可言呢？」

「以經為中心的中國傳統文化，是以人為中心的道德文化。」

「中國的傳統，不是『需要』，反而是需要『清理』。」

「人類的覺悟，常常是從『反面』逼出來的。」

「流亡者，已經失掉了地平面上的卷舒，何可再失掉精神上縱貫底提攜維繫。」

「中國的義理，與西方哲學不同者，在其實踐底基本性格。故缺少此種實踐功夫底，很難信其對經的義理有所了解。」

「今日包攬教科書利益的集團，喜歡把自己弄不清楚的字句、內容，選到教科書裡面。」

「胡先生（註：胡適），只掛著科學與民主的招牌，憑著生活的情緒，順著人性的弱點去反傳統。傳統受了打擊，胡先生成了大名，但知性是能憑藉《紅樓夢》考證而得到解放，而能有所著落嗎？」

「傳統是由一群人的創造，得到多數人的承認，受過長時間的考驗，因而成為一般大眾的文化生活內容。能夠形成一個傳統的東西，其本身即係一歷史真理。傳統不怕反，傳統經過一度反了以後，它將由新底發掘，以新底意義，重新回到反者之面前。」

——〈當前讀經問題之爭論——為孔誕紀念專號而作〉一九五二／十一／五《民主評論》三卷二十期（一九五二／九／十二夜於台中）

一之三

「凡不關於自己個人現實上的利害得失，而對其事忽然有所不知其然的憤悱之情，及難安的感覺，這常是一個人『良心』發現的徵候。」

「就一般人，居於被統治地位的人，較之居於統治地位的人，其良心易於發現。不論古今中外，權力與良心是很難並存的。握有權力而要保持自己良心的人，只有依賴民主制度中的對權力的強大控制力量，有如議會、輿論諸基本自由權利等。」

「真正有生命力的文藝作品，一定是從現實人生中醞釀而來，實際也是對現實人生負責，這即所謂：『為人生而藝術』。」

「良心之所安，良心之所不安，是負有立言責任的人，首先應向對自己提出的反省。」

——〈立言的態度問題〉一九六一／十／十六《華僑日報》

一之四

「宗教，本是以通向神之國——天國——為其目的，而所謂現世，不過是作為通向天國的準備的世界。但是我們要了解，只有充滿了倫理道德的人生價值的現世，才是有靈性的現世，才是和天國最接近的現世。」

「站在心理學方面來研究宗教起源時，我們大體可以說，人類開始在一種恐怖心理下而信神；再進一步，是用一種敬畏的心理來信仰神；再進一步，才是用『原罪』的心理來信仰神。一個人，只有在感覺到他充滿『原罪』的時候，才能夠從他現在的位置中超拔出來，向神去接近。所以『原罪』的觀念，在宗教中居於一種主導的地位。」

「性善的善，保藏在生命的深處。這種深是深到無限的，而超越了自己生理的生命，因而感到這是由天所命。善的擴大，也是擴大到無限，而超越了時間空間的限制，因而感到天人合一，亦即是與神同在。所以，性善的性，才是每一個人通向神的世界的確實可靠的橋樑；同時，它的自身，也即是神的世界。」

——〈一個中國人文主義者所了解的當前宗教（基督教）問題〉一九六二／二／一《人生》第二十三卷第六、七期合刊

一之五

「偏理性、道德性的思想，必須不斷有人對應於新環境而加以闡述，使其日月常新；否則，只是斷簡殘編中的陳跡，一般人不會感到他有什麼意義；這是孔子自己所說的『人能弘道，非道弘人』。但自乾、嘉以來，幾乎沒有人做過這種工作。」

——〈中國文化的伏流〉一九六二／八／十四《華僑日報》

一之六

「友道，何以在人生教養中，有其重大意義，到了荀子說得更清楚。他在〈勸學篇〉：『蓬生麻中，不扶而直』的一段話中，指出每人都會受環境的影響；而在各種環境中，以由朋友所形成的環境最為密切。從朋友所得來的啓發、觀摩、及力量，對於一個人的行為，常有決定性的作用。」

「任何成功的人，在生活上一定有他許多的缺點。有出息的人，便會從他成功的方面受影響。沒有出息的人，便常援據他人的缺點以自證自慰。」

「中國到了春秋時代，列國的貴族，來往頻繁，對於友朋的來往，漸漸由國家的關係、利害，發展為私人的關係、得失。於是『友道』觀念，漸漸浮現出來，由孔子而加以確定。《論語》在『學而時習之，不亦悦乎』的第一句後面，便是：『有朋自遠方來，不亦樂乎？』便是這種道理。同時，孔子更說出『益者三友，損者三友』的一段話，以奠定友道的準繩，指出友道如何而始能達到人生教養的目的。自此以後，『勸善規過』，成為中國人友道的常識。」

「友道在人生中的重大意義，西方可以説到了西塞羅（Cicero，紀元前一〇六－一四三）才完全把它顯發出來。西塞羅看到當時羅馬貴族生活的荒淫墮落，便積極提倡發端於斯多亞派（Stoic，主張克己、禁慾主義的哲學家，稱之謂斯多亞學派）的人文主義，強調人生所需要的教養。而在他，認為得到教養的最大方式之一，便是與朋友的交際。所以他遺留下來的著作中，《友情論》居於重要的地位。」

——〈國際社會間的「友道」問題〉一九六三／七／十四《華僑日報》

一之七

「今日台灣的學術文化界，因十年的精神怠工，以致全憑人情世故來處理學術文化上的問題。」

——〈大學教育中的國文英文問題〉一九六三／九／二十四《徵信新聞報》

一之八

「《洪範》中所謂之帝、天，本是宗教上的意義。由周初所開始的宗教轉化，到孔、孟而始完成。到程明道、陸象山、王陽明而更為顯透。雖有時仍承用帝、天之名，但帝、天實皆由自己的心、性所上透的德性而顯；如實言之，帝、天實擴充到極其量的心性，這是中國文化發展的大方向及最後的到達點。」

——〈如何讀馬浮先生的書〉一九六三／十一／十六《民主評論》第十四卷第二十二期

一之九

「我們特須注意的是，以神話、神跡為主的宗教，因自由主義而正在歐洲退潮、換骨的時候，卻正是西方的神父、牧師們，大量向亞、非地區宣傳其神話、神跡的時候。」

——〈自由主義的變種〉一九六四／五／二十三—二十五

一之十

「在人類歷史中最大的問題，可以說是個人與社會，如何能得到均衡、協調的問題。」

「要把握一般人的性格，應該先把握自己的性格，即是先從『自己知道自己』作起。沒有此一起點，則調查統計的工作，只能停頓在膚淺、混沌狀態下。」

——〈個人與社會〉一九六六／五／五《民主評論》十七卷五期

一之十一

「最嚴重的問題是：對『現在』而言，人類在科學技術之前，似乎迷失了自己。對『未來』而言，人類在科學技術之前，更會迷失了自己。」

「不論現在和未來，人類的命運，依然是操在人類自己身上。不過，過去是由少數人作決定。現在和未來，則憑科學技術發展之前，可以由多數人乃至每一個人共同作決定。」

——〈「現在」與「未來」中的「人」的問題〉一九六七／一／十二《華僑日報》

一之十二

「所謂聖賢豪傑，只有當他的思想、行為，在社會生活中發生了影響，而成為善良的風俗時，才對人類，對歷史，有了真正貢獻。」

「所以，從學術理論的結構看，孔子並不及古希臘系統的哲人；但從他在二千多年來的社會生活中所發生的影響看，則古希臘系統的哲人站在他的面前，都顯得非常乾枯渺小。」

——〈「社會規範」問題〉一九七五／七／十五《華僑日報》

一之十三

「若承認被變形了的『假人』，是一種非常可悲的命運，則不能不驚嘆於約兩千四百年前，即提出『真人』要求的莊子，所具有的偉大智慧。」

「所謂『真人』，不是後來道教所說的神仙，而是未被變形以前的『真正的人』。」

「在莊子心目中，許多知識份子，都是『假人』，這些知識份子的知識是『假知識』。」

「不勢利、不結黨營私，不同流合污。不因危險死生改其操，這才是一個『真人』。『儒家』提出『忠信』，提出『誠』，並說『不誠無物』，雖內容的規範與莊子有出入，但要求知識份子作一個誠實的人，求誠實的知、說誠實的話，與莊子所期待的真人，並無二致。」

——〈從「哈哈亭」向「真人」的呼喊〉一九八〇／一／二《華僑日報》

一之十四

「中國文化的基本理念是『老吾老，以及人之老。幼吾幼，以及人之幼』。進一步是『思天下之有溺者，猶己溺之也。天下有饑者，猶己饑之也』。」

——〈「精神參與者」之聲〉一九八一／五／十七《華僑日報》

一之十五

「在許多不同的形態和方式中，何者是正常？何者不正常？乃決定於大多數人心的所安，及生存的需要。而所安與需要，常須接受歷史的考驗。所以提出者常是一二人，而判決者則是社會和歷史，因此，正常必具備有社會性、傳統性。就中國說，祇能以孔子之教為代表，而孔子之教，應以《論語》為代表。」

「『正常』是『現成』的，也是開闢、建立的。站在中國文化的觀點說，一切正常之道，皆為每一個人的心性所固有，都是順乎人的心性的自然而發，所以是現成的。但事實上，必須通過『自覺』或『被覺』的一關，心性所涵的善端才能顯現。因為是『正常』的，便必然是善而不是惡。自覺與被覺，開始於人禽之辨。人與禽獸都是動物，從動物中覺到人應有別於禽獸，由此以開闢出『人道』，建立起『人道』，這才有正常可言。」

「正常之道，是『動態』的，而不是『靜態』的，因為人是一個生命體。正常或反常，都緊密與生命連結在一起。生命不是成長，便是墮落。孔子說：『君子上達，小人下達』。作為一個實踐正常之道的君子，實踐的歷程，自然會成為向上成長而上達的歷程，孔子說出他自己的經驗，即是『下學而上達』。作為一個反常的小人，他反常的程度，自然即向下隕落而下達的程度。以正常為基點，人是可以上下自由移動，所以它是動態的，而且移動向上，上是無限的。無限到希聖希天。移動向下，下也是無底的，無底到達禽獸也不如。」

「正常之所以為正常，第一，必為多數人平靜時的心性所能接受，而心性本是含有無限可能性的。第二，必合於個體與群體共同生存的需要，這也是隨時間、空間的變化或改變。當傳統的正常受到抵抗、叛逆時，勢必逼出某種形式的反省。在反省中，上述因素會產生選擇能力，於是有的傳統被淘汰，有的傳統再肯定；新的某一部分被淘汰，某一部分被吸引。由再肯定與新吸收的兩相結合，即會形成新的正常，促成新的安定與進步，這是人類歷史發展的大規律。」

——〈正常即偉大（之三）〉一九八一／二／十七《華僑日報》

畫影、二

二之一

「這是日本哲學家西田幾多郎氏於一九三五年秋，在東方日比谷公園的一篇講演稿，西田是近代日本代表的哲學家，『西田哲學』在相當長的時間成為日本哲學主流……虛心研究一個真正有哲學素養的日本學者，是如何來看和我們所遇相同的問題，對於我們的思考，總有相當的幫助。——譯者（註：徐復觀）」

——〈學問的方法〉一九五三／二／十六《民主評論》四卷四期

二之二

「一個大學生，首先應當有這樣的一種『覺悟』；即是，大學生的生活態度，應當漸漬沉浸於『理性』中，而高視闊步於世俗『利害』之上。」

「大學生，是『理性』高於一切，『懷疑』多於『信仰』的生活時代。」

「所謂『理性』，常是由無權無勢的人們所積累而來；『權威』，則常係建基於權勢之上，與現實利害有密切地關係。」

「就求學的根本動機，及求學的整個歸結來說，則一定是為了對時代負責，對國家、民族，乃至整個人類來負責。時代的要求，國家、民族乃至整個人類的要求，才是一個智識分子生活的最高規律。」

「自五十年以來，少數守本分、盡本分的大學生，在精神上卻與時代隔絕，讓不守本分、不盡本分的大學生，在學校裡操縱了現實地政治的風氣。」

「所謂科學精神，乃是把科學的客觀要求，在自己的生活中體現出來，使其成為能適應、擔當科學工作的生活態度。」

「人類文化努力的方向，一是如何了解自然，因而控制自然；另一是如何了解自己，克制自己，因而建立人與人的和平而合理的關係。所以，道德理性自覺的最顯著徵候是：除了自己以外，尚知道有旁人；為自己著想，同時要為旁人著想。」

「有一種學生，成天的興之所至，目無他人，在他許多無意識的行為中，給願意用功的學生以生活的擾亂，並且一抓到機會，便佔同學的一點便宜，權力則爭先，義務便退後；這種學生，一定會討厭先生，討厭書本，討厭實驗室，討厭敦品好學的同學；這種學生的結果，大家不難推想，他不成為廢物，便會成為害蟲的。」

——〈怎樣當一個大學生〉一九五八／四、六月《東風》第一卷第三、四期

二之三

「一個人的『興趣』，不僅須要『培養』，並且須要『發現』。」

「凡在功課上，過早限定了自己興趣的學生，不是局量狹小，便是心氣粗浮，當然會影響到將來的成就。何況，各種專門知識，常須在許多相關的知識中，才能確定其地位與方向，並保持其發展上的平衡。」

「讀書的大敵是『浮淺』，當今最壞的風氣，也便是浮淺。說起來，某人讀了好多書，實際卻未讀通一部書；這才是害人的假黃金，假古董。我過去有三十年的歲月，便犯過這種大罪過。讀書，有如攻擊陣地，突破一點，深入窮追，或者是避免浮淺的一條途徑。」

「我願向大家推薦〔宋〕張洪、齊熙同編的《朱子讀書法》。朱元晦真是投出他的全部生命來讀書的人，所以他讀書的經驗對我們具有永恆的啓發作用。」

——〈應當如何讀書？〉一九五九／一《東風》第一卷第六期

二之四

「他（註：熊十力）曾告訴我：『文字借自古人，內容則是出自我自己的創造。』」

「可以用自己的哲學思想去衡斷古人的哲學思想；但萬不可將古人的思想，塗上自己的哲學。」

「他（註：朱熹）費最大精力注釋《孟子》時，對孟子中，言心、言性的地方，幾乎無不顛倒；因為他自己有一套理氣的哲學橫在胸中，不知不覺的便用了上去。這裡便遇著一個難題，沒有哲學修養，如何能了解古人的哲學思想？有了哲學修養，便會形成自己的哲學，便容易把自己的哲學與古人做某種程度的換位。」

「孔子自謂：『夏禮吾能言之』、『殷禮吾能言之』，所謂『能言』，乃由周禮上推，以言其『禮意』；但因『文獻不足』，他終於不言。我讀《論語》，常常是在他（孔子）生命的轉化中，所自然流露出的『平凡中的偉大』的現實生活中受到感動。」

「治學，最重要的資本，是思考力。」

「中國哲學思想，有無世界地意義、有無現代地價值，是要深入到現代世界，實際所遭遇到的各種問題中，去加以衡量，而不是要在西方的哲學著作中，去加以衡量。」

「做學問，只能求之於自己『學術良心』之所安，而不必問西方人的能否接受。」

「哲學思想，是要求從生命、生活中深透進去，作重新地發現。」

「我們在能與西方相通的地方，可以證人心之所同；我們與西方相異的地方，或可以補西方文化之所缺。」

「孔子說：『古之學者為己（為充實自己），今之學者為人（做給他人看）』。今人治學的精神狀態，『為人』的成份太多了。」

「談到方法問題，大體上說，是出自治學歷程中，所蓄積的經驗反省。由反省所集結出的方法，又可以導引治學中的操作過程。沒有適當的方法，很難得出有意義的結論。」

「方法的真正作用，乃發生於誠摯的治學精神，與勤勉的治學工作中。方法的效果，是與治學的功力成正例。面對學問的自身而言，我還是一個幼稚園的學生。」

——〈我的若干斷想〉一九六一／一／三於九龍寓所《香港現代研究輔導中心》

二之五

「對古人立說，有如法官斷案。斷案，乃在使事理得其平，而非為滿足法官自身虛矯之意氣。」

「論文與詩詞不同，詩詞主要表達個人之感情，他人心目中之工拙，可以不計。論文，則以被論及之對象為主體。涉及理論者，惟理論可以駁之。涉及證據者，惟證據可以駁之，此學術以為天下之公器也。弟年來常感到必須有學術良心，而後可以運用科學之方法，然後可以進入於某一學問之藩籬。」

——〈有關周公問題之商討〉一九六二／三／十六《民主評論》十三卷第六期

二之六

「學問，是以分化、專門化而得到進步。但同時，若不把分化的知識加以統合，若不把知識間的境界線加以填補，學問也同樣不能得到發展。」

「今日大學，已面臨到非改制即無以適應學術發展與社會要求的關頭。但這種改制，既需要知識的努力，更需要負責者，為下一代設想的誠意。」

——〈今日大學教育問題〉一九六二／八／四《華僑日報》

二之七

「研究的結果，而能把原來的出發點推翻，這是學問的進步。但每門學問的出發點，只能由研究來推翻，而不許連出發點，也不曾摸到，只憑個人的感想去加以推翻。」

「歷史，乃成立在時間變動之中，無時間即無歷史。沒有時間觀念，怎樣可以說是歷史教育，乃至歷史研究。」

「一切時代，在歷史家的心目中，其價值都是平等的；只有如此，歷史家才肯竭心盡力去研究一切時代的歷史。」

「歷史是變的，對歷史人物事件作評價，應以各時代背景為基準。」

——〈有關歷史教育的一封信〉一九六二／九／一《新天地》第一卷第七期

二之八

「知識與符咒處於對立的地位。符咒在人類歷史上，曾發生很大的力量。培根說：『知識即是力量』，這是人類近入近代的大標誌。知識的力量，是來自它的明確性、合理性、可知性、及共許性。符咒的力量，是來自它的混沌性、雜亂性、不可知性、及神秘的特殊性。知識是訴之於多人的認知理性和道德理性。符咒則訴之於特定人物的吸引力和律令、權威。」

——〈知識與符咒——做人做事求學要在平實中立基礎〉一九六六／二《華僑日報》

二之九

「我偶然讀到陳垣先生的《通鑑胡注表微》，他把胡三省在元人統治之下所激發的民族感情，一寄託於他所著的《通鑑注》裡面，徹底闡發出來，蓋即以此表示他居夷處困中的民族志節。我讀時非常感動，所以便花錢把原書托人鈔存一部，因為此書當時尚未由世界書局轉印，故此間得之極為不易。」

「凡樹立黨羽，霸佔地盤者的必不認真治學；而認真治學的人，必為埋頭閉户，不務聲華之人。」

「對自己民族沒有感情的人，決讀不通自己民族所遺留下來的任何典籍——除非完全是誨淫誨盜這一方面的東西。」

「把歷史文化和科學民主，鎔鑄成為文化的一大方向，也正是我們民族在生存發展中，自然而然地必走的大方向。」

——〈一個偉大知識份子的發現〉一九六六／四《民主評論》十七卷第四期

二之十

「在衰亂時代，政府、社會，對人，對學問，常常失掉了衡斷的能力，及大公無私的精神。於是，欺世盜名之徒，得以大行其道。」

「知識份子的卑賤，主要是來自他的沒有人格，便一面懼權畏勢，即不敢『正是非於富貴』，一面趨炎附勢，而『向盛背衰』。顛倒大是大非的都出自富貴之家。不敢正是非於富貴，則極其量也不過是，用打蒼蠅的方法去掩護缺處。」

「（東漢末年）仲長統著了《昌言》十二卷……他說：『天下之士有三可賤：慕名而不知實，一可賤。不敢正是非於富貴，二可賤。向盛背衰，三可賤。』賤是卑賤，即是沒有人格。一個時代的完全沒落，其根本原因，便是來自知識份子的卑賤。」

「最近的一些大貪污案，是東漢末年尚未曾出現……套用仲長統的口氣，則這批人，應該包括在『士有三狗』之內。這批人後面都有強有力的主人；他們之所以敢明火執杖，乃是『狗恃人勢』一狗也。這批人有的是以主人的『狗頭軍師』自居，在狗頭軍師掩護之下所幹的勾當，二狗也。我們鄉下人，把不要臉的人稱為『人頭狗臉』，而他們正是人頭狗臉，三狗也。由三賤到三狗，這是歷史的大發展。」

——〈「三賤」與「三狗」〉一九六六／九／三《新聞天地》

二之十一

「從事實導出思想，以思想把握事實，這才是學問的本來面目。」

「在人類生活、行為的範圍之內，概念、價值、事實三者，經常是融合在一起而不可分；這是『社會的實在』，也是『歷史的責任』。」

「我分明知道，我所講的任何話不會發生效果，甚至於產生反效果。但這一時代的真消息，若不從我的口中筆下透露一點出來，我真不知道將來的人，如何能了解一時代。」

——〈寫給中央研究院王院長世杰先生的一封公開信〉一九六八／六／五《陽明雜誌》三十一期

二之十二

「在『學問』上已經『報廢』了的人，但吃的依然是學術飯，便不能不動腦維持一種虛偽的學術門面；其方法，即是排斥對學術有成就，乃至有誠意的人，不准參加到他的範圍裏面去，以免看穿他們的秘密，形成他們精神上的威脅。同時，即以全力培養一個一個的不受學術感染的小團體、小派系，以作自己的捍衛。連對助教的選用，也一定要選擇次而又次的學生，以免後患。」

「『知識』，這種東西，必須毫不間斷地繼續追求，才能保持和增進。幹系、院幹久了的人，自然熱心於人事與事務，而懶散於學問。這樣一來，院長、系主任的學問，常和他擔任的時間久暫成反比例，當校長的人更是如此。所以，以院、系終其身的人，在『學問』上常常變成了『廢人』。我是當過系主任的人，有資格說出這種話。」

——〈吳大猷先生對台灣的兩大貢獻〉一九六八／八／二《華僑日報》

二之十三

「人文方面的研究，乾脆說，很少能『走上正路』的。其所以如此，除了偷巧懶惰，乃因小利而出賣靈魂，失掉獨立自主的研究精神之外，還有兩大障蔽。一是『自我中心』；一是反理論、反思想的傾向。」

——〈人文研究方面的兩大障蔽——以李霖燦先生一文為例〉一九六九／七／一《中華雜誌》七卷七期

二之十四

「做學問之目的，便是要培養『高地精神』、『高地眼界』，使自己能居高臨下地看問題。」

「人拋棄了都市，直接與自然契合，因而得到了真實地美感。人在領略這種真實美感時，也會感到自己是一個『真實』的人。」

——〈太平山上的漫步漫想〉一九七〇／四／十一《新聞天地》第一一五六期

二之十五

「做學問的過程，可以說是『發現問題』的過程，而懷疑是發現問題的起點，所以宋儒說：『大疑則大進，小疑則小進』。」

「『學術尊嚴』，只有在時代巨流中，真正把握到學術的人，才能親切感受到。」

——〈多為國家學術前途著想〉一九七八／六／二十一《華僑日報》

二之十六

「孔子『言行一致』的要求，是人格上的要求。我現改在學問、知識的層次來加以運用。首先我應指出，官與學問、知識，不僅兩不相干，而且必然地作反比例的發展。因為在政治落後地區，作官的必需條件是講假話，而學問知識的起碼條件是求真，是講真話。」

——〈聽其「銜」而觀其言〉一九八一／十一／二十一《華僑日報》

二之十七

「荀子認為人性是惡的，而學的目的，在於『始乎為士，終乎為聖人』。由士到聖人的歷程，是生命轉化、昇華的歷程。這在儒家，不是『觀想』中的頓悟、漸悟所能達到，而需由實踐的不斷積累。積累的歷程，即是生命轉化、昇華的歷程。所以，荀子特提出一個『積』字，以作學的基本工夫。他認為能『積善成德』，即可『神明自得，聖心備焉』。」

「有藝術創作上的天才，決無學問成就的天才。並且，即使具有藝術創作上的天才，但若無學問上積累之功，便最好和李賀一樣，死得早；否則，才氣隨年齡而消歇，勢必有『江淹才盡』之嘆。」

「積是與時間成正比例，時間愈久，在學問上便積得愈多。積是與生計、與世故、成反比例，在生計與世故上費心得愈多，在學問上所積的也愈少。由此可知，學問之積，不僅要由對學問的信心毅力而來，並且也要由生活的淡泊超卓而來。在這種地方，儘可由學力以窺見人品。斷沒有營營苟苟，而能積累知識，成就學問的。」

——〈學問的歷程——臥雲山房文稿序〉一九八一／七／五《華僑日報》

三、教育

三之一

「教育，是對下一代的人負責的。」

「好心腸的父母，決不忍把『下一代』當作是『上一代』的無意志自由的工具。」

「政治是一種權力，權力是人類無可如何的不愉快的產物。凡是正統的中西政治學說，無不以限制權力為第一義。所以，一個政府，永遠只能，而且也只應，處理擺在他眼前的事情。」

「言論自由，學術思想自由，是人類自由的最後堡壘。只有靠著此一堡壘，才可以為人類留下無限生機，才可以使人性保持其無限的可能性。」

——〈「計劃教育」質疑〉一九五二／五／一《自由中國》第六卷第九期

三之二

「青年因違反了自己的志願，而發生的不滿情緒，政府最低限度應允許青年作自力補救的努力。這種自力補救的努力，是自由社會裡；根據自由意志，所發生的自動調節的最大機能。」

「學校是為了青年辦的，而不是為了辦教育的人來支持自己門面的。為了支持自己的門面，而硬性的杜絕青年奮鬥之路，這總值得良心的反省。」

「辦教育的人，自己也曾當過學生，自己也會有子弟；推己及人，便不難對青年多一份體諒，並多負一點責任。」

——〈為青年求學做一呼籲〉一九五五／七／三《聯合報》

三之三

「一個人不能從政治上盡責，便應從教育上盡責；有如孔子的杏壇設教，王通的河汾講學。此即所謂『習教事』。王弼注之：『大亂未夷，教不可廢』，此即中國歷史上少數偉大書生為延續民族命脈，所一貫下來的志業。」

——〈古人在危難中的智慧〉一九五六／五／十六《人生》第十二卷第一期

三之四

「聞有非常之人，必有非常之功；欲立非常之功，必有非常之法。」

「山中萬事不關心，但對於下一代孩子們的前途，誰又能忘記得乾乾淨淨呢？」

——〈惡性補習與免試升學〉一九五八／七／十二《新聞天地》第五四三期

三之五

「社會團體的基礎是『群眾』，所以，代表它的權威的也是『群眾』。但大學的基礎是『學術』，代表大學權威的是『學術』。學術是由『質』做決定，不能由『量』做決定。」

「凡是承認學術權威的是好大學，反對學術權威，甚至以群眾力量去掩沒學術上的是非的，是壞大學，甚至可以說不配稱為大學。」

「一個人，進大學教書，所爭的是知識，而決不是權力。」

「知識決非由權力所能得到，而必須靠各人自己埋頭作研究工作。知識的價值，即是教授的尊嚴。因此，把權力放在第一位的教授，決不是值得尊敬的教授。」

——〈從一個大學校長的角逐，看我們的理性良心〉一九六一／二／十六《聯合報》

三之六

「一個人的人格學問，都應在大學時代奠定基礎。」

「創造的習性與方法，尤其是願望，應該在大學中養成。事實上，若是大學時代的基礎壞了，則一生就不會有什麼大希望。」

「大學生，應該養成獨立思考的習慣與能力，真正的思考，其本身即是獨立的。」

「許多人，讀了一生的書，根本還沒有培養出思考的能力，只是一生過著依傍生活而已。」

「獨立思考，首先是要不受既成學說思想的束縛。」

「有獨立思考能力的人，對一切既成的學說，及事物，都不作絕對的肯定，但也不將其完全否定，而只是把它當作自己思考的材料的一部分。因此，要能獨立思考，首先要有容受力。

容受力不夠的人，常常以一家一派的滿足，實際便是依傍一家一派。」

「獨立思考，不等於空想，是對許多材料作『重新組織』的工作。我可以吸收許多思想材料；通過我的思考，先作初步的否定，然後再作批判後的肯定。凡是經過否定後，重新加以肯定的事務，才具有真正的價值。」

「我們當然無懼於從現社會既成勢力中的孤立；因為許多既成勢力是醜惡的東西，對於他們，早已無所謂孤立與否。」

「一個大學生，能夠努力於獨立思考習性與能力的養成，再從團結的生活中，作最後目標的嘗試，我想這種大學生，才能算是真正的大學生，將會為萬世開太平而貢獻其力量。」

——〈動亂時代中的大學生〉一九六一《東風》第二卷第一期

三之七

「西方各國大學中，對古典的學習，主要在於得到人文的教養。因此，中文系的學生在道理上說，每一個人，都應當能為最大教育的人。」

「只要能把古典中的道理，驗之於社會生活，驗之於自己生活，因而得所啓發，有所信守，則縱然在學術上沒有大的成就，但以人文的教養，從事於社會任何工作，尤其是從事於教育工作，其影響所及，實在可以形成一個國家裡面的精神支柱。」

「許多中文系，只有『告朔之餼羊』的意義，很少有學術上、文化上的意義。」

——〈我看大學的中文系〉一九六二／六《東風》第二卷第七期

三之八

「語文教育，不僅是訓練兒童表達自己意志感情的能力，同時也是訓練、培養兒童之思考能力。」

「思想是順著一條路線展開，這即是有了點秩序。秩序的養成，在訓練兒童能合理的聯想，合理的類推。而這裡的所謂『合理』，主要是指由此一事物到彼一事物，中間有明顯的關連。」

「『知類』是訓練兒童思考秩序的最基本條件。把兩件以上的事物排比在一起，要使兒童從中導出一個結論，這便是『知類』的訓練。逼著兒童作不倫不類的想像、思考，乃是把兒童的頭腦導向混亂，我認為這是對兒童的一種毒害。」

——〈台灣的語文教育問題〉一九六二／九／十二《徵信新聞報》

三之九

「籌集一筆專款，集中三、五位對於學有基礎，對文學有研究之人士，在三個月內，專心從上述參考資料中，分工整理，個別提出意見，最後交由一人主編。課文選定後，再分工註解，由主編者總其成。編成初稿後，分送各大學中文系及中學國文教員，請於一個月內簽具意見，重行整理為定本。」

——〈慎重編選中學國文課本〉一九六三／六／二十五《民族晚報》

三之十

「因為近代初等教育的發達，使父母們過份倚賴了學校。其實，兒童問題，最好是在家庭中解決，並且當父母的人，應當具有此種信心。」

「每一個人，都是生活於自己的習慣之中，而習慣是經過長時間所養成的。家庭，正是養成兒童習慣的場所。在家庭所養成的良好習慣，是以中學校道德教育的基礎。」

「當父母的人，特須養成兒童們尊重生命，增進健康，保持安全，自己的事自己作，及注意禮節與儀態，愛惜物件與金錢，打起精神來作事等等習慣。」

——〈兒童的成長與家庭〉一九六四／五／二十四《華僑日報》

三之十一

「過早的精神偏食，不一定是精神健康的現象。社會上有言論之責的人，不應助長這種偏向。」

「大學的中文系，是存在有很多問題的。簡單地說，它根本問題，乃在講授的人，缺乏有關的知識訓練，因而不能以有關的近代知識作背景，致使古典的內容，不能整理為『知識系統』，而讓它一直停頓在『原料』狀態之下。古典的『知識系統化』，即是古典的現代化，這才是研究中國文史，講授中國文史的人，所應作的一個永恆的努力。這種努力，就目前的風氣看，恐怕在我們的下一代還不能開始。」

「人類的莊嚴，主要是表現在學海的淵深廣大裡面。更了解在學海裡決沒有那一門知識，可以包辦其他部門的知識。何況今日在台灣，還不容易發現出對某一門知識，是確有貢獻的人。凡對自己不曾下過若干功夫的問題，而因發表的便利，便信口開河的大發議論，結果都是測字卜卦的議論。最不幸的是，我們今日不斷地做這種議論的人，卻說他是代表科學、西化，天下最滑稽的事，孰過於此。」

——〈由一個國文試題的爭論所引起的文化上問題〉一九六四／十／五《徵信新聞報》

三之十二

「大學教育，一天一天的走向『野雞大學』的路，好像存心在為台灣不久的將來，製造無窮的社會問題一樣。」

「凡是稍為有現代學術常識的人，便會無條件地承認，只有經年累月在研究室、試驗室中，有計畫地埋頭苦幹，才能建立起來學術的基礎。」

「現在的達官貴人，有幾個不是一面向自己的百姓發號施令，說要如何如何的大事建設；一面卻以自己的兒女婿們，能當『假洋人』而自豪自慰。」

「按照儒家的意思，說老實話，說真話的人，是君子；強不知以為知，扛著一塊招牌說謊的人，便是小人。」

——〈回答我的一位學生的信並附記〉一九六四／十二／二十八《學藝周刊》十三期

三之十三

「西漢在公文上嚴懲寫別字的人，但古今的書家，並不一定是文字學家，有時寫了別字，有時興之所至，多寫一筆或少寫一筆。欣賞的人，並不去計較，因為大家只從藝術的眼光去看，不從文字學的立場去看。」

——〈為「報」字給中學生的一封短信〉一九六八／十二《陽明》第三十五期

三之十四

「多數的上一代，為了滿足自己在政治、經濟、信仰、文化上的橫決無理的欲望，便常用自己吹騙奸狡的技巧，把下一代變成自己的工具。換言之，即是存心犧牲下一代來增加上一代的罪惡。」

「我懇切希望上一代的人，不能為了自己便對下一代作政治、經濟、信仰、學術的詐欺，而應誠心誠意地為下一代著想，忠實於下一代。」

——〈上下兩代之間的問題〉一九七〇／一／二十五《華僑日報》

三之十五

「大學，是『人的實驗室』，是『社會的實驗室』，科學、技術的實驗室，是把根據若干原理原則所成立的假設，通過所選定的條件，及計劃的操作，以證明某一假設是否成立。如不能成立，此一假設便被消除；如能成立，則作為一種確定的事實，向社會有關的方面推廣，因而提高科學、技術的水準，促進科學、技術的進步。」

「大學教育的基本任務，是根據傳統的，以及時代的若干信念——包括人格、知識、技術的若干信念，鑄造成信念的擔當者，使成為較之『自然』，以及『被社會污染的人』，更為近於理想要求的人。」

「東京大學的『教官（教師）自己規律委員會』向評議會提出『關於教官（教師）自己規律的報告』，決議為東大的基本方針，各學院、各研究所，以此為標準。其基本方針，分為三點。（一）人事任用的嚴格化，並導入競爭的原則。這是把『鐵飯碗』改變為『流動性的飯碗』。（二）教授在一定年限之內，須接受業績評判，在評議會上，各評議員對各教授的人格，教學能力，及著作水準，作嚴格的評判，再投票以決定他有無充當教授的資格。（三）教官（教師）須提出定期報告，報告自己的教學與研究的情形和成績。」

——〈大學教育的難題〉一九七二／二／二十七《華僑日報》

三之十六

「『師』原來只是一種官吏的名稱，或者是武裝組織的名稱。師字逐漸演變而成社會中負擔教育責任者的稱呼，這只有在貴族階級已開始崩潰，貴族手上所掌握的知識、資料，隨一部分貴族墜落為平民，向社會傳播，才慢慢形成的。其時期，應當始於春秋的中葉，在孔子出生以前。」

「官立學校出現，教師的利害，已與學生無關，而決定於行政主管的校長。這種無恥敗類（教師），便活學活用上述誣徒的方法，以妾婦之心，去逢迎校長。以校長的耳目自任，變亂是非，媾陷良善，以便從校長的手上取得不正當的利益。校長一變動，攢營的對象也立刻改變。攢營校長的路走窮了，便出賣到政治方面，希望由政治權力來維護自己的特殊利益。」

——〈呂氏春秋中的「師道」——為壬子教師節作〉一九七二／九／二十八《華僑日報》

四、文學

四之一

「凡是一個人，把他所見、所聞、所思、所感，用文字表達出來，我在這裡都稱之為寫作。」

「做學問的最基本的工作，首在收集資料，整理資料，把資料加以消化。」

「每個人，都有一種『惰性』；因此，明知資料的重要，但常常怠於去搜尋。」

「做學問進一步的工作，是要養成自己思考能力，思想才是做學問的靈魂。有思考能力，才能真正消化資料，因而每一資料，也都能賦與一種新的生命。」

「現時中國文化界、學術界，到處充滿了『成熟』太早、永無進步的人物。真正有志於學術的青年，不僅不可被這類的人物嚇唬住，並且應以這類人物為大戒。」

「我近幾年才了解，一生讀書而不肯輕寫一字的人，站在做學問的觀點來說，是最吃虧的事。因此，我深悔過去太懶於寫作。」

「就我個人的經驗來說，在寫的經歷中，對問題所發掘的深度與廣度，絕非開始拿筆時所能想到。」

——〈為學習而寫作〉一九五六／五《大學生活》

四之二

「文學特性之一，是在於它對人生社會所表現的統一性、完整性。那怕，只寫人生社會的一個片段，但在這裏面所蘊藏的，還是統一的、完整的東西。因為每一個生命，都是一個完整的統一體；而文學正是以人生社會的生命，為自己的生命的。」

「缺乏對人生、社會的感受性的人，乃至對這種感受輕易予以放過，而不加珍惜、凝定的人，便不易成為一個作家，更不易成為一個好的作家。作品的價值，是由感受而來的感動性的大小、深淺來決定的。」

「『無我』是宗教、道德、科學、藝術所共同要求的最高精神境界。」

「凡是喜歡『見小』，愛佔小便宜的人，極其至，祇能寫點小幽默、或尖酸刻薄的東西，不能寫出真有文學價值的作品。因為這種人的精神，和人生社會經常居於隔離的狀態。」

「聰明人，寫作時最易犯的毛病，便是一揮而就，不加斧削，立刻寄出去，希望趕快刊出來；這是不容易得到進步的。」

「我的經驗（我祇有寫評論性的散文經驗），一篇短文總要經過三次修改，並且修改最好是在隔天以後行之，才能勉強沒有字句上的大毛病（小毛病是一定會有的）。」

「一個人，要在醞釀中培養自己的創造能力，要在修改中培養自己的寫作技巧。能耐心的改，忍痛的改，改得改頭換面，以至字斟句酌，這才是真功夫，這才真是本領。我知道這點甘苦，但遲暮之年，尚不能完全做到，所以很誠懇的向青年們提出。」

「有人問我：『胡適之先生的成就是什麼？』我經過仔細考量後，謹慎的答道：『他的成就，就是白話文』，我覺得他白話文，寫得清楚而乾淨，這確非易事。」

——〈如何開始文藝寫作〉一九六〇／四／十六《人生》第十九卷第十一期

四之三

「寫作技巧的訓練，對創作可能有幫助，但並非受到這種訓練的人即能創作。任何國家的文藝作家，不可能都是出身於他們自己的文學系。」

——〈大學中文系的課程問題〉一九六二／七／十二《華僑日報》

四之四

「作為『美』的基本因素的感情，畢竟是屬於人與人之間的情態。當人把自己的感情移向自然時，乃是無形之中，把自然加以有情化，加以人格化。若是在『自然』中看不出『人情味』，自然便只是死物，沒有『美』的意味可言。在中國的許多神話中，一切精靈，必以能修練成人身為其靈化的第一條件，這是很有道理的。」

「據近代美學的研究，可以了解到，風景之美，不是一種存在，而是一種生活，一種展出。它的美，乃是生起、展出於人們美的觀照之中。對於沒有『美』的觀照的人而言，任何風景都不是美。而美的觀照的構成，包含了知覺、感情、想像三種因素。人當面對著某一風景而忘掉了一切利害計較，並且也放下了思考分析，只是憑著自己的知覺的直觀，凝著於風景之上，於是風景之美，便會生起、展出於自己之前。此時，也會不知不覺地向風景移入了感情，並看出了風景後面所蘊蓄的意味，而向人構成一種氣氛、情調；人於此時便陶醉於自然之美裡面，把自己的精神加以純化、淨化了。美的觀點，好像是專用而比較生疏的觀念。其實，普通所說的『看得出神』，這即是美的觀照最親切的描述。」

——〈風景・幽情〉一九六四／四《自由談》十五卷四期

四之五

「現代文化，尤其是美國文化，有兩點特別值得注意。第一，是由機械之力，把每一個人都緊密地揉進於各種集團之中：但每一個人又都要求和他所屬的集團，乃至整個地社會，完全解脫分離出來。這有點像一個人的精神和自己的軀殼，兩相游離，兩相抗拒，這是一種健康的現象嗎？此種現象反映到文學、藝術中去，便把使文學、藝術得以成其為偉大的『共感』，完全失墜了。失墜了。失墜了共感的文學、藝術，會有它自己的前途嗎？第二，是科學、技術的飛躍發展，使人們的生活方式，也改變得非常地快。於是，一般二十歲上下的年輕人，也認為精神的遞嬗，應當是同樣的快；由此而反抗一切傳統，反抗自己的上一代。越是浮在街頭上的年輕人，越感到他們應當以奇特的生活方式，表現他們是在代表新的時代。但真正使時代發生改變的動力，乃是在研究室和工廠中埋頭苦幹，質樸無華的一批人；而這批人的成就，大概的年齡也要從二十七、八歲至五、六十歲之間。然則那些碌綠紛紛的二十歲上下的『理想家』，在時代進展中，到底居於何種地位？佔有何種分量呢？」

——〈從裸裸舞看美國文化的問題〉一九六五／十一／十八《華僑日報》

四之六

「對魯迅的了解是，他出生於沉醉八股科舉制度之下的家庭。這種家庭，若不曾出現過能由八股，而上透到學問領域的人物，便是最卑鄙、最勢力、最無知的家庭。魯迅能從這種家庭中透出，而發現其愚昧黑暗，並由此以剖視當時在長期科舉陰霾之下的社會，而發出憤怒的吶喊，這是他最了不起的地方。」

「晚期的魯迅，他的心靈活動，比較深入了一層，但他的生活已與農村隔得愈離愈遠了。同時，我曾指出過，『自衛』的意識太強，則客觀的伸透與描寫的能力，將成正比例的減退。他的創作力的早衰，恐和這點也有關係。」

——〈契可夫與魯迅〉一九七二／六／十一《明報・集思路》

五、智識份子

五之一

「不學之智識份子，偏要拿出學人的面目，以文飾而張皇之。此其得失，不在一二人之本身，而在虛偽不學、欺世盜名之風尚，所給與國家民族的影響。」

「年來政治無能，民生痛苦，需要大家，尤其是有力的輿論機關，起來對現局加以批評，加以推動，加以督責。」

——〈一統與國防——為讀王芸生之〈一統與均權〉而作〉一九四六／十二／二十六南京《中央日報》

五之二

「問題的客觀性，常為感情所歪曲。問題的客觀尺度，常為籠統所模糊。於是中國智識份子，便缺乏以實證方法，與合理主義為骨幹的科學精神，不能產生近代真正的科學。」

「年來輿論的不發生作用，當然主要是因為政府的顢頇。」

「我認為今日大膽的提出問題，是智識份子的責任。而根據科學精神，很嚴密的、合理的提出問題，更是智識的責任。」

——〈中國科學事業的另一危機〉一九四八／八／三十一南京《中央日報》

五之三

「為什麼不學日本的辦法，儘量多翻譯各種程度的科學著作，使青年只靠本國文字，即可打好科學的基礎。」

「當一個人墜落的時候，當一個團體墜落的時候，當一個民族墜落的時候，對於自己的弱點，總不肯從自己的根源上找原因，總不肯從自己的根源上挺身站起，而一定把原因投射到外面去，在外面找一個替死鬼來為自己負責。」

「懶惰而又好為名高的人，只有希望自己站在一切毀滅了的廢墟之上，可以一事不做，而能左顧右盼，在一無所有之中稱雄。」

——〈懶惰才是妨礙中國科學化的最大原因〉一九五四／六／一《民主評論》五卷十一期

五之四

「相傳滿清驕橫跋扈的年羹堯有一副對聯：『不敬先生，天誅地滅；誤人子弟，男盜女娼。』」

「高級知識分子的生命中，似乎還缺少一樣東西，即是起碼的『救世』精神。」

「只要留心人類歷史，凡在艱難困苦的時代，能為人類延續文化命脈，開創文化生機的人，其內心總多少蘊蓄有一份悲憫之情，因而產生一種為人類擔當責任的宏願。」

——〈對南洋大學的期待〉一九五五／三／六《華僑日報》

五之五

「中國的知識份子，自魏、晉以後，皆帶點名士氣。名士以老、莊為精神血脈。對權貴，則用老氏陰氣之術取容；對社會文化，則以莊生放曠之情自恣。再加以千餘年科舉之毒，使人媚骨偷志，寡廉鮮恥，不僅視國家之興亡，生民之禍福，皆不足以敵其口腹溫飽之需，從不因此而動其毫髮的念慮。偶見當時有一二位良心血性之士，奮微力於豺狼虎豹之間，欲以口誅筆伐，與權奸爭國命之絕續，反從而娼疾訕笑，百方加以中傷，以自炫其從容因應之術。於是，『清議』本為知識份子報國的起碼責任，也被這種寡廉鮮恥的人所扼殺了。」

——〈方望溪論清議〉一九五七／一／一《人生》一四八期

五之六

「我到東大來教書，完全是生命過程中的一種偶然。在這種生命的偶然中，假定還要勉強找出一點意義，那便是我對功課所傾注的熱情，和對你們前途所懷抱的希望。」

「假定人生是有『價值』的話，『學問』的本身，便是最真實的人生價值。」

「出了校門以後，更要加強做學問的決心，不論在任何環境之下，應該一直做學問做到死。」

「在人情世務磨鍊之下來讀書，會特別感到親切，特別容易深入領會。」

「過去和現在，許多知識份子，有意無意之間，總是犧牲國家的生存發展，來換取個人的生存發展，才弄成今日的慘局。」

「大家要了解，這幾代的知識份子，對國家才有罪過；而國家的本身，國家裡絕大多數的辛苦人民，並沒有罪過。」

——〈主宰自己的命運——贈東海大學首屆畢業諸生〉一九五九／六《東風》

五之七

「廿世紀的文明所給予我們的『享受』，實際是近於『死亡』邊緣的享受。」

「有時代感覺的人，便能夠在時代，衡量判斷中，要求合理的生活，處於主動的地位，以對時代的貢獻來充實自己的人生。」

「在苦難中，必須首先找到一個立足點，而這個立足點，就在自己的『良心』的自覺。」

「信神，必須要通過良心，缺良心自覺的教徒，那不算『信教』，只能說是『吃教』。」

「在苦難時代中，大家應在『良心』的自覺上，追尋自己的立足點。」

「由『良心』的自覺，而發出族類之愛，把自救與救族類融合在一起。」

——〈苦難時代的知識青年〉一九五九／十二《東風》第一卷第九期

五之八

「我們的生活、行為不僅對個人負責，同時也對我們的民族負責。國際人士通過我們的生活、行為來觀察，并判斷我們民族有沒有出息。」

「人在心靈感動的一剎那，是超出他現實生活的一切利害是非的計較，在精神的升華和淨化中，忘記了由世俗生活，所設定的許多斤斤計較的差別。此時，他不僅沒有此教徒與彼教徒的區別，並且也沒有教徒與非教徒的區別。」

「把有情的東西，看作無情的東西來處理，這是『科學』；把無情的東西，看作有情的東西來表示，這才是『文學』。」

「凡事能真正富於感受性的人，也一定會由感受，而引發心靈的感動。」

「作品的價值，是以由感受而來的感動性的大小、深淺來決定的。」

「一個稍有表現能力的青年，應經常保持對社會、人生的關心程度，由冷靜的觀察、體認，而釀成心靈的感動，並珍惜此種心靈的感動。」

「此種感動，會不動痕跡的消逝掉，自己永遠不能蓄積一點精神的資產。」

「我以一個儒家的信徒，而尊重各偉大的宗教，大家可以了解這并不是圓滑。」

——〈我們的學校〉一九五九／十二／十六《東海大學校刊》

五之九

「商人的氣質，和商人的現實主義，有互相循環的關係。商人的現實主義，是把一切利益集結到金錢；而金錢的利益，又只凝縮到當下的一刻。只從當下一刻的金錢利益，去看整個的社會、人生、乃至宇宙，這便是商人氣質的由來；而商人氣質，也正是為了現實商人的現實主義。」

「就台灣十年來，知識份子所表現的情形來說，使我感到對日本知識份子的批評，是深自慚愧的。（一九七〇／十二／十二〈校後誌〉）」

——〈從「外來語」看日本知識份子的性格〉一九六〇／五／八《華僑日報》

五之十

「聰明的人，並非即是有知識的人。有知識的人，也不一定是有思想的人……人世間，許多不幸的問題，多半是出在有不少的人，把自己聰明，當作了知識，當作了思想。」

「聰明本身的特性，是對環境直接而迅速地反應。智識，則不僅是對環境的反應，還要進一步去觀察、分析、檢證，才可以得出結論。」

「求知識的最高境界，是將個人現上的利害置之度外，『為知識而知識』。」

「『但說相思莫當真』。這是妓女的心理描寫，也是一切聰明人的心理描寫。所以，聰明人不僅沒有知識，而且也沒有性情。」

「專門在聰明中討生活的，可以舉出三種典型：一是酒家女，二是江湖人，三是中國式官僚。三者中以官僚的毒害最大。因為他們經常要發揮自己的聰明去『訓話』、『演講』，使人相信他們的聰明即是知識。其實，豈僅吹、拍、詐、騙，是聰明而不是知識。」

「片段地知識，可以作為構成思想的材料，但說到『思想』，應該是有系統而構成比較完整的一套。」

「人類行為的方向，是在思想中統一起來的。人類的分裂，也可以說以思想而來的分裂，最為深刻。」

「我的最大待望，是下一代的人（我對自己的這一代，早已失去信心），把自己的聰明用向知識，而不必浪費到人情世故方面。更由知識而進入思想。或接受不斷受到知識的考驗、補充，修正的思想，以照明自己的人生，照明自己的時代。」

——〈聰明・知識・思想〉一九六三／十／一《民主評論》十四卷二十一期

五之十一

「作文的起碼訓練是，敘述一個人的生活、思想，不僅僅不可以隨意胡謅，並且也不可以泛泛地陳述為滿足，而應當把某一人之所以為某一人的特點，表達出來，這才算『著了題』，才算及了格。」

「我在南京時，親自看到許多幹部，在為了爭取中央民意代表的，又叫又哭的鬧聲中，居然有人向一位負組織責任的先生喊著：『我當了你這麼多年的走狗，你連這樣的名義都不給我，以後的走狗還有人當嗎？』」

「我看到許多，蔣公自己乃至經國先生所培植的幹部及學生。能不要官，不要錢，不要名位，不佔任何便宜，而會擁護到底嗎？」

——〈紀念吳稚暉先生的真實意義〉一九六四／四／十六《民主評論》第十五卷第八期

五之十二

「中國知識份子的責任，乃在求得各種正確知識，冒悲劇性的危險，不逃避，不詭隨，把自己所認為正確，而為現實所需要的知識，影響到社會上去。在與社會的干涉中考驗自己，考驗自己所求的知識的性能，以進一步發展、建立為我們國家，人類所需要的知識。」

「作為一個知識份子，在面對權勢時，應當堅守自己的權利，限定自己的義務。在面對社會時，則應常忘記自己的權利，擴大自己的義務。」

「西方個人主義所以能發生進步性的功效，是因為有不少的知識份子，忘記了自己的個人，以要求成就社會上的每一個人。若知識份子成為自我中心的個人主義者，必然地一轉眼便會變成奴才主義者，對權勢，自己是奴才；對自己可以支配的範圍以內，把他人當作奴才。因此，我願意這樣的說：『先天下之憂而憂，後天下之樂而樂』的知識份子，才是知識份子個人主義的『正種』。」

——〈中國知識份子的責任〉一九六八／十二《大學雜誌》

五之十三

「中國在長期專制統治之下，胥吏與地主豪紳相結托，控制了落後農村社會，再加以長期的八股科舉制度，使從社會產生的讀書人，既無知識，又無品格，於是農村很難接觸到文化之光。魯迅首先把這種社會的黑暗面，通過深刻而精鍊的文字，吶喊了出來，這實是出於仁心的使命感，也是促進社會進步的重要動力。從這一點說，魯迅的貢獻，當然是永垂不朽的。」

——〈悲魯迅〉一九七〇／二／二十三《華僑日報》

五之十四

「在『勢力』上圓融，在學術上狠戾，對活著的人客氣，對墓中的朽骨發威，現代中國知識份子在這種地方表演得太出色了。」

——〈現代中國知識份子的特性——悼念章士釗先生〉一九七五／七／十六《華僑日報》

六、政治

六之一

「錢氏（大昕）根據他豐富的歷史智識，而在政治上歸納一條鐵則：『諱疾而不慎者，身雖強必夭……拒諫而自矜者，國雖安必亡。』、『以四海之大，百司之眾，無一人能為朝廷直言，而國不亡，未之有也。』、『天下而能保之者，必自納諫始。』」

「納言受善是舜、禹，飾非拒諫是桀、紂；直言極諫是忠貞，阿諛逢迎是奸佞。」

「納諫，不僅在一二事情的是非，主要是培養政治人物的人格與責任心，轉移政治風氣，且以此來與社會通氣。」

——〈錢大昕論梁武帝——保天下必自納諫始〉一九五五／六／十五《自由人》第四四七期

六之二

「研究近代政治的人，無論如何，總不能不承認『民族國家』之成立，是近代政治的開端；這是由文藝復興所引起的個人自覺，向前再進一步的自然發展。在此階段中，各國國民運動的總目標，可用『對外求獨立，對內求統一』二語加以概括。」

「任何的價值觀念，必須先在個體上生根，否則不僅會完全落空，並且會產生重大的弊案。」

——〈反極權主義及殖民主義〉一九五八／九／十六《民主評論》九卷十八期

六之三

「大凡奸猾出身的開國之主，到了他的末年，一定把有能力的人殺個乾淨，有如劉邦、朱元璋，只留下毫無能力的奴才，作為看家狗。」

——〈劉備白帝城托孤〉一九五九／一／八《新聞天地》

六之四

「沒有自由的責任，是奴隸的責任，結果也一定會取消掉責任。沒有責任的自由，是暴亂的自由，結果也一定會取消掉自由。」

「應該認定『說假話』的可恥，是沒有人格、是斯文掃地的勾當，目前打著招牌說假話的風氣太盛了。還有打著『科學』、『西化』的招牌，而大講假話的一批人。此一風氣，由大學的教室走向社會，走向報紙雜誌。」

「一切的黑暗、醜惡，都來自說假話，都以說話為遮掩的手段。所以，不論古今中外，無不以說假話為罪惡之淵藪。」

——〈言論的責任問題〉一九六三／十／二《徵信新聞報》

六之五

「有了自己的民族，才有資格談國際間的經濟合作，才有資格談國際間的文化交流。否則，等於一個無家的流浪漢，既無資格招待客人，便也無資格在他人家庭作客。而只能當他人各種變相的門客乃至雇工。」

「顧亭林曾有『亡國』與『亡天下』的分別，他所說的亡國，指的是改朝換代。亡天下，指的是亡民族。一個民族亡了，在這一民族之內的每一份子算都一起亡了，所以他便說『天下興亡，匹夫有責』。」

——〈歷史與民族〉一九六五／四／十六《民主評論》

六之六

「民族的國家，是由子子孫孫繼承不絕的老百姓的生活共同體所形成的。中國過去對於這種生活共同體，有時稱之為『中國』，如中庸『不與同中國』；有時稱之為『華夏』，如左傳『裔不謀夏，夷不亂華』；書經武成『華夏蠻貊』。或把中國華夏兩詞合在一起而稱之為『中華』，三國志諸葛亮傳『使遊樂中華』。過去，當我們自稱中國、華夏、中華之類的名稱時，實際指的是，此一共同生活體的文化，及生活於此文化內的廣大人民與其土地。並不是，指的某一個朝廷的政治支配者及其勢力範圍。」

「為了民族國家的生存，而打倒一人一家的政治國家，乃儒家的大義所在。」

「把對一人一姓的阿私，看成是對於民族國家的忠義，於是把『與人忠』的觀念，專用來事奉一人一姓，使它是真正變成了奴隸道德，而騙掉多少人流了冤枉的血。」

——〈國家的兩重性格〉一九六五／五／二十八《華僑日報》

六之七

「假定把孫行者，保護唐僧往西天取經，取到經後才會成為正果，比擬作人類對自由的爭取，比擬作只有爭到自由後，人類才有前途；則孫行者在往西天的途程中所遭遇的磨難，正如人類在追求自由過程中，許多個人、團體、國家民族，所必然會遭受到的磨難。這些磨難，都是來自各種妖魔。」

「在人類生存、發展的歷史中，僅僅倚賴自由，並不能解決許多重大的困難問題；並且在自由觀念之下，也不知發生過多少弊害。因此，人類有時鄙視自由，甚至放棄自由。」

「《西遊記》中的故事，孫行者縱有萬般能耐，但必須首先從妖魔的閉鎖性的法寶中解脱出來，否則一切將無從説起。有自由，才有意志；有意志，才有力量去追求各種理想，改正各種錯誤。我們過去曾不滿意於空洞的自由主義；可是失掉了自由的個人與民族，等於失去了一切。甚至可以説，生存與自由是不可分的。」

——〈鐵幕國家與孫行者〉一九六九／八／十一《華僑日報》

六之八

「歷史上一切的特權階段，因為與大多數人的利益站在反對的地位，所以必定是反動的。由反動的地位所形成的意識形態，必然是愚蠢的。因為他們是特權階級，他們的生活，必然是腐爛的。反動、愚蠢、腐爛的積累，必然不能接受實質的改良，自然而然地走著前述的三部曲（註：直接鎮壓、拖延、搶奪）而歸於徹底死亡之路。」

「先秦儒、道、墨三家的政治思想，都可以說是『為人民而政治』。儒家最高的政治原則是『民之所好好之，民之所惡惡之』，政權運用的形式『天下為公，選賢與能』。老子認為『聖人無常心，以百姓之心為心』，希望在無為而治的不干涉的政治之下，讓人民可以『自富、自正』。墨子則主張地方官吏（正長）以迄卿大夫、諸侯、三公、天子，皆出於選舉。」

——〈辛亥革命的意義與教訓〉一九七一／四／五《華僑日報》

六之九

「國民政府在危急存亡之秋，由蔣經國出來組閣，這是打出了最後的一張王牌，所以不論個人對蔣經國的好惡如何，大家都應幫助他的成功，決不希望他的失敗。國家遷到台灣以後，積弊之深，風氣之壞，特權階級之多而且橫，遠超過大陸時代。」

「賞罰不行，疲玩成習，各種計畫、訓詞，最後都以歸檔了事。歷史上凡是有建樹的人，必以『信賞必罰』為重要條件之一。」

——〈台灣二三事〉一九七二／七／二十二《華僑日報》

六之十

「好的法官，在判決某人死刑以前，必從各種角度搜集，對某人不利及有利的資料，作客觀的衡量，為其求生而不可得，然後判決他的死刑，才可以使己心無愧，死者無恨。」

——〈「辨偽」之不易的一例〉一九七三／四／十八《中國時報》

六之十一

「自由平等，是人類永恆的天國，但似乎也永遠得不到諧和。」

「在自由社會中，是需要自由，並享受自由最多的莫如白領階級。但今日輕視自由，甚至寧願犧牲自由，以追求另一種社會體制的，也常多出於白領階級。」

「四十年以前，我曾熱心追求辯證法。三十年以前，我把它冷凍在一旁。二十年以前，一見到這三個字便忍不住咨嗟嘆息。因為它已經被人利用作朝三暮四變亂是非的工具了。但在現有存在的本身，會培育出否定現有存在的因素，因而把人類推向更高的階段，這種辯證法的發展，依然不能不加以承認的。」

「把平等與自由，結合在一起。這大概便是人類歷史遠程的大綱維，大法則。」

——〈辯證法下的人類前途〉一九七五／八／二十《華僑日報》

六之十二

「我和錢（註：穆）先生有相同之處，都是要把歷史中好的一面發掘出來。但錢先生所發掘的是二千年的專制並不是專制，因而我們應當安住於歷史傳統政制之中，不必妄想什麼民主。而我所發掘的，卻是以各種方式反抗專制，緩和專制，在專制中注入若干開明因素。在專制下，如何多保持一線民族生機的聖賢之心，隱逸之節，偉大史學家、文學家面對人民的嗚咽呻吟，及志士仁人忠臣義士，在專制中所流的血與淚。因而認為在專制下的血河淚海，不激發出民主自由來，便永不會停止。『述往事，思來者』，史公（司馬遷）作史之心，應當是一切史學家之心。」

——〈良知的迷惘——錢穆先生的史學〉一九七八／十二／十六—二十《華僑日報》

六之十三

「以孔子為中心的先秦儒家之教，是從原始宗教中，擺脫出來的人道之教，人格之教。雖然在長期專制壓迫下，受到了歪曲、污染，但通過一部《廿四史》，證明它始終是維護人民、維護民族的一股力量。」

「從政治上演仁義，消極方面，『仁』是對殘暴而言。『義』是對驕妄而言。積極方面，『仁』是『天下有溺者，猶己溺之也；天下有飢者，猶己飢之也』（孟子）的統治者及知識份子，對人民的不幸，負有絕對責任的精神而言。『義』是根據人民大眾的利益（『與民同樂』、『與民同之』），以樹立政治行為標準而言。『仁義』是專制封建的黑暗政治下，為人民乞命，為國族存生機所揭出的大標誌。」

——〈文化賣國賊〉一九七九／二／十一——十六《華僑日報》

六之十四

「只要有政治，就免不了有鬥爭，就隨時有野蠻主義的復活。一切民主法制，在專政觀念之前，在專政體制之前，只不過是劊子手中刀柄上的裝飾品。」

——〈保持這顆「不容自己之心」〉一九七九／三／六《華僑日報》

六之十五

「長期受儒家思想薰陶的人，他的起心動志，自然直接落在國家人民的身上，而不能被一黨之私所束縛，這在把『黨』壓在『國』的頭上而稱為『黨國』的今天，是無法使人理解的。」

「在原始部落中，語言與咒語是沒有大分別的。對於某些語言，覺得含有神奇的力量，需要一直虔誠地念下去，有如『觀世音菩薩』、『主耶穌基督之名』一樣。它的好處，使唸的人毫不費力，即可當下獲得安心感，壞處是阻撓了理性對客觀真實的認識，阻撓了人類知識的進步。」

——〈國家無發窮願無極江山遼闊主多時〉一九七九／十／十《華僑日報》

六之十六

「何謂『正常』？正是正派；常是尋常。因此，所謂正常，是指正派而又極尋常的人，所過的正當（去聲）而又極尋常的生活。在正常以上的是『非常』，在正常以下的是『反常』。非常、正常、反常，各有不同的層次，此不具論。僅指出三個通俗名詞中，尋常之常，是了解問題的關鍵。因為是尋常，所以在時間上有較久的安定性，在空間上有較人的普遍性。」

「動植物都是在安定穩定的基礎中，向上向前生長，人也是一樣。但安定性、普遍性、穩定性的後面，若沒有教育、修養的動力，便會停滯下形成某種形的惰性。」

「非常之人與非常之功，乃在某種『非常時機』中偶然出現。非常時機，常常是人類命運，受到考驗的危機時代。在危機時代由非常之人，建立非常之功，其目的與結果，應當是開闢一個新的安定時代，在安定中解決問題，都是大家所共許共知的方法手段。」

——〈正常即偉大（之二）〉一九八一／二／十七《華僑日報》

六之十七

「建設精神文明，比建設物質文明更困難。買一整套工廠設備、技術、配上一組熱心學習的人員，三、五年即可生產。但一切學說、思想，必須經過長期實踐的考驗，進入於人的精神之中，與人的精神成為一體，乃可稱為精神文明；不要誤解，以為『精神科學』即是精神文明。精神文明，是人類長期『從百死千難中得來』（王陽明語）的銖積才累的產物，真正和匯無數細流以成百川有些相像。」

——〈正常即偉大（之四）〉一九八一／二／二十四《華僑日報》

六之十八

「我國有世界上規模最大、時間最久的專制政治，困扼了民族生命力的拓展。由這種專制政治所積累下的痼疾，只有憑民主之力，始能加以治療。缺少這種治療之功，則它（痼疾）必在任何政黨、任何主義裡，借屍還魂，繼續對人民肆虐。」

「三十年來，我對中國思想史的研究，主要是想把中國文化中，所蘊藏的民主精神，疏導發揮出來，使民主能在自己國家中生根，並為已經露出疲態、病態的民主注入新生命。中國傳統知識份子的態度，只問是否盡了自己的心，不必太注意自己的力。」

「有言論自由，才能不被現實勢力所役使，出現直接對國家人民負責的獨立輿論。獨立輿論，是真假民主的試金石，也是民主的催生者、保護者。因此我想到，『書生報國在文章』，只能限於這種性質的文章。」

——〈獨立輿論的待望〉一九八六／四《九十年代》第一九五期

七、人生

七之一

「美國教會要在台灣辦個大學，而這個大學，是根據基督的『博愛』的精神，挾帶學術『自由』的空氣來辦的。此風一出，鼓舞了全台灣的人心，各地爭著這個理想的大學能在各自家園的左近實現。結果，在校址的選擇上，台中市中了選，台中市民引為莫大的光榮，我還從側面提供了一個『東海大學』的名稱。」

——〈中國人和美國人〉一九五四／十／二十五《華僑日報》

七之二

「若是一個人太注重了自己的儀態，每天必須在儀態上花一番功夫，這便可能把較儀態更為主要的東西忘掉；或者減輕了對於這一方面的精力支出，因此也可能萎縮了正常心靈的活動及事功上的效能。在儀態上減少一份注意與工夫，便可能在人生更重要的方面，去增加一分注意與工夫。」

——〈袁紹與曹操〉一九五五／十一／五《新聞天地》

七之三

「我不僅愛自己的小孩，也愛旁人家的小孩。為小孩胡鬧而生氣的時候比較少，把小孩的胡鬧，當作藝術欣賞的時候總比較多。」

「小孩的胡鬧，是來自他們的精力瀰漫，天真無邪。他們的爭、吵，實在是他們的遊戲；是由精力過剩而來的『無所為而為』的藝術活動。他們彼此之間，根本沒有仇恨，所以爭吵與親切，只是遊戲動作中的兩個方面。他們彼此之間，根本沒有私心，所以當他們安排集體遊戲時，常是安排得合情合理，是非分明，大家都服服貼貼的玩得興高采烈，各得其所。換言之，他們胡鬧的本質，是天理的流行，是藝術精神的躍動。他們的生命，在胡鬧中成長；從胡鬧中可以看出他們有不自覺的信心，因而，每一個孩子都是樂觀主義者；他們正在不自覺地走向自己的希望、理想。」

「我於民國四十一年，由台中坐火車往台北，手上拿著一本《二程遺書》在看。忽然看到程伊川『不學，則老而衰』的一句話，當時心情非常感動，回來把這句話寫好貼在壁上。十年來雖然在學問上沒有成就，但雖病而仍不老不衰，我覺得這是伊川這句話，所給我的最大啓發和效驗。」

「我是提倡怕老婆的人；因為怕老婆也可以使人年輕。但整天在牌桌上的老婆，決非值得一怕的老婆。」

「假定我們社會上，把花在打麻將牌上的時間、精力、金錢，轉用在無所為而為的藝術性的活動之上；例如個人的寫字、畫畫、集體的演劇、旅行。我想，我們的生命力，便立刻蓬蓬勃勃地發揮出來，每一個人都帶有一份的孩子氣，這比吃蜂王漿這類的補品，會神效得多了。」

——〈社會將如何返老還童〉一九六三／十二《自由之貴》十五卷一期

七之四

「任何職業，都含有許多社會關係者在裡面。把某一職業做得好，即是通過某一職業，而對於它所含的社會關係者，有所貢獻。」

「所謂職業觀念、道德，是自己職業的本身，於有意無意之中，承認它具備有無限的價值。認為實現職業的價值；即是實現自己人生的價值，因而把自己的生命力，完全貫注於自己職業之中，把職業的進步，當作自己人生的幸福，此之謂職業觀念、職業道德。」

——〈我們在現代化中缺少了點什麼——職業道德〉一九六四／九／五《華僑日報》

七之五

「價值的人生，不受職業限制，不受社會地位限制，不受財富限制。要找出頭，只能從人生價值上找出路。」

「人生的價值是主體性的，其價值不操於旁人之手。能由自己做主，能藉自己力量達到。」

——〈青年何處去〉一九六四在中興大學的講演稿，由徐均琴紀錄

七之六

「曹雪芹寫《紅樓夢》，謂女子是水造的，而男人則是泥造的；一清一濁，出自天性。此雖係曹雪芹目擊當時的滿清貴族，及攀附滿清貴族的各色男人，整日營營苟苟，鑽拍吹捧，詐騙卑賤，無所不為，令人感到嘔吐的感嘆之言。而女人，因當時社會條件的限制，與這輩男人的活動，自然兩不相干，因而也自然能保持一分乾淨；故憤積於心，而巧喻於筆，遂認定男女在造生時已有此清濁的分限，於是『字字寫來皆是血』，卻只是寫女子，不寫男人，免使他的筆觸，沾染到人間的污穢。我們試從歷史上、社會上稍加觀察，除了直接參與到男人的臭權勢、臭金錢的追求，以致把自己弄得一身臭的少數女子外，能不承認一般女子比男人乾淨得多嗎？所以曹雪芹認定男女在造生時，已有水與泥在本質上的分別。」

——〈侯碧漪女士的仕女花鳥〉一九七〇／八《明報月刊》第五卷第八期

七之七

「美國教會大學聯合董事會，在幾年以前，對設立在台中的東海大學提出一份調查報告，說該校是由美國、中國、台灣三個不同的民族文化所共同設立的。」

「我一貫地認為，人民不僅有批評政府的權利，並且也有選定自己所需要的政府的權利。幸而，人類發展出來了一套民主政治的權力運用的軌式，這便把政權的移轉『尋常化』了，奠定了一個國家和平發展的基礎。」

「我是一個非常討厭現實政治的人；從民國三十七年起，便決心不參加任何現實政治。我也知道，有人霸佔權力，便有人爭奪權力；有人以民主以外的方法保持權力，便會有人以民主以外的方法爭奪權力，這都是非常可悲的。」

——〈中國人對於國家問題的心聲〉一九七一／一／十《華僑日報》

七之八

「對婦女『守節』一事，在今日我認為既不必提倡，但也不必反對，而只能聽任當事者的自由意志的決定。對於我的朋友的遺孀，假定是再嫁，我是由衷的同情；假定是苦撐，我也由衷的敬佩。但過去因為把『貞潔』，看作至高無上的東西，由家庭中的父母兄弟，代一個弱女子強作主張，逼著非守不可；甚至逼著『望門守節』，乃至逼著『自裁』，以便報請旌表，這不僅是荒謬，而且也是殘酷。」

——〈由「董夫人」所引起的價值問題的反省〉一九七一／十一《大學雜誌》三十七期

七之九

「老人問題，從社會看，他是佔人口總數大約四分之一的問題。從人自身的立場看，是經過勞碌一生，由開花而進入結果的問題。社會有四分之一的人不得其所，這實際比盜劫等社會問題更為嚴重。而每一個人，或者是多數人，都開花而不能結果，這便引起另一問題，即是人生有何意味？少年、壯年的辛勤有何意義的問題。『採得百花成蜜後，為誰辛苦為誰甜？』這兩詩句，似乎是今日許多國家的老人們的共同嘆息。」

「我已經老了，但有兩個故事啓發我，使我忘記了自己的老，使我脫離現實社會的勢利場中的孤獨感，而進入到沒有勢利糾纏的另一種熱鬧場面，即是爭學術上的是非得失的熱鬧場面。」

「第一個故事是《論語》中，孔子自述的：『其為人也（孔子自己），發憤忘食，樂以忘憂，不知老之將至』的幾句話。孔子說這句話時，他正在當時楚國的邊境，他這時大概是六十六歲左右（未及詳考），按照現在的情形說，他已過了退休的年齡，他已經老了。但他說『不知老之將至』，是孔子只以躺在床上動不得的時候，才算是『老』。所以子貢問他如何可以得到休息機會時，他很明確地告訴子貢，人只有『死』的時候，才是『休息』的時候。當我讀懂了他這幾句話的時候，怎能不恭維他是聖人呢？他的心思，完全用到如何為人類擔當千百萬年的命運上面；個人有什麼老不老的問題？」

「另一個故事，是我在從台中到台北的火車上，看《二程遺書》，看到程伊川說的『不學，則老而衰』的一句話，嚇得我出一身冷汗。原來程伊川認為老是無可避免，也不必避免。老而不衰，與未老同。他之所謂衰不衰，當然不是指氣力而言，而是指智慧、胸懷、志氣而言。只有靠『學問』之力，才能維持年老人的智慧、胸懷、志氣，使老人自己覺得無愧於是一個人。」

——〈老人的問題〉一九七二／八／十九《華僑日報》

七之十

「西方工商業競爭激烈的社會，開始發現，若使競爭的擔當者，能得到『心的平安』，以中和由外面來的刺激，在生理上，在精神上，有其重要性。而『心的平安』，正是瑜珈和禪的安頓之地。」

「『不曾斷滅，炯炯常知』，這才是禪的實際。以半睡眠狀態當作禪，這不是禪的墮落嗎？尤其是，禪對『貪、嗔、痴』三毒的徹底消解，以轉出貪、嗔、痴以外的新人生觀。」

——〈東與西的心的接觸〉一九七二／八／二十五《華僑日報》

七之十一

「熊十力先生曾對我說，他也曾到廣州住在旅館裡，想參加革命。但眼看言革命者，多是群居終日，言不及義的人，乃憤而離去，發憤讀書。」

——〈五十年來的中國——為華僑日報創辦五十周年紀念而作〉一九七五／六／五《華僑日報》

七之十二

「所謂『社會規範』，實際即是我們從戰國中期以來所重視的『風俗』。人是生存於社會之中，人的生活，即是社會生活。一般地說，只有生存在合理的社會中，才容易過著私人的合理，才容易得個人的安全、幸福。人類的前途，才可得繼續生存發展的保證。只有當他的思想、行為，在社會生活中發生了影響，而成為善良的風俗時，才對人類、對歷史，有了真正的貢獻。」

——〈「社會規範」問題〉一九七五／七／十五《華僑日報》

七之十三

「我沒有記日記的習慣，……人的大腦不同於機器；機器可由他人按鈕，大腦不能由他人按鈕。由他人按鈕所說的話，沒有討論的價值。」

——〈一段往事〉一九七七／三／十八《華僑日報》

七之十四

「春蠶的絲，是從它自己的生命中化出來的。它的生命力，何以不消停在自己的生命之中，而一定要化成一縷一縷的絲，把它吐出在自己軀殼的外面？而且一直要到把自己的生命力化完吐完為止？這真是一個生命的謎，也是一個生命的悲劇性的謎。」

「沒含有矛盾混亂的不是愛情，沒有甜中帶苦，笑中帶淚的不是愛情；不是如醉如夢，於不知不覺之中，拋擲出自己全部生命力的不是愛情。」

「我們原始的生命力，常常被普通的理智之光而弱化，而淺薄化了，只有靠了『愛情』，才能把這種浮光掠影的『理智』，唾棄在一旁，讓原始的生命力和盤托出，以完成它自己。蠶的屍體，是用它自己生命力所化出的絲來包裹，這比用其他任何東西來包裹更為莊嚴。人的屍體，也應該用它自己生命力所化出的愛情來包裹，這才證明人性的崇高偉大。」

「現代人的生命，被機器、被權力欲望，薰染得已經僵化了。這些人，只有『撒野』，決沒有愛情，更不能從原始生命力中流出一滴眼淚。於是春蠶的位置，只好讓人造絲、尼龍絲等等來代替了。」

——〈春蠶篇〉一九八一／九／十九《新聞天地》第十一期第十號

附錄

《徐復觀教授時論語錄精粹》編後七絕三首

薛順雄

一、

軍旅生涯春夢逝，立言啟後碩儒心。振聾奮筆期匡世，度外安危木鐸音。

二、

學教終生無退轉，堅揚民主不休心。除偽解蔽闡儒道，至聖真情不受侵。

三、

紅塵何處覓真儒，名利薰人願做奴。亂世誰知君子意，匡時啟後任榮枯。

國家圖書館出版品預行編目資料

徐復觀教授時論語錄精粹

薛順雄編. – 初版. – 臺北市：臺灣學生，2017.09
面；公分

ISBN 978-957-15-1734-6 (平裝)

1. 言論集 2. 時事評論

078 106013897

徐復觀教授時論語錄精粹

編者：薛順雄
出版者：臺灣學生書局有限公司
發行人：楊雲龍
發行所：臺灣學生書局有限公司
臺北市和平東路一段七五巷一一號
郵政劃撥戶：〇〇〇二四六六八號
電話：（〇二）二三九二八一八五
傳真：（〇二）二三九二八一〇五
E-mail: student.book@msa.hinet.net
http://www.studentbooks.com.tw

本書局登記證字號：行政院新聞局局版北市業字第玖捌壹號

印刷所：長欣印刷企業社
中和市永和路三六三巷四二號
電話：（〇二）二二二六八八五三

定價：新臺幣一八〇元

二〇一七年九月初版

07815

ISBN 978-957-15-1734-6 (平裝)